少林武术精粹系列丛书

U1017238

少林拳（三）

德虔　德炎　编著

北京体育大学出版社

责任编辑：任　侠
责任校对：赵红霞
版式设计：李　鹤

图书在版编目（CIP）数据

少林拳. 三 / 德虔, 德炎编著. -- 北京 : 北京体育大学出版社, 2022.1
（少林武术精粹系列丛书）
ISBN 978-7-5644-3565-3

Ⅰ. ①少… Ⅱ. ①德… ②德… Ⅲ. ①少林拳－套路(武术) Ⅳ. ①G852.15

中国版本图书馆CIP数据核字(2022)第007617号

少林拳（三）
SHAOLINQUAN(SAN)　　　德虔　德炎　编著

出版发行：北京体育大学出版社
地　　址：北京海淀区农大南路1号院2号楼2层办公B-212
邮　　编：100084
网　　址：http://cbs.bsu.edu.cn
发 行 部：010-62989320
邮 购 部：北京体育大学出版社读者服务部 010-62989432
印　　刷：北京昌联印刷有限公司
开　　本：880mm × 1230mm　1/32
成品尺寸：148mm × 210mm
印　　张：1.75
字　　数：35千字
版　　次：2022年1月第1版
印　　次：2022年1月第1次印刷
定　　价：10.00元

（本书如有印装质量问题，请与出版社联系调换）

前　言

武术作为中国的国粹，是中华民族传统文化的组成部分。家喻户晓的少林武术便是其中极具代表性的门类，是中国武术的重要象征。

我社与少林武术结缘已久，伴随着时光的流逝，有多种内容、多样组合、各种形式的载有少林武术的出版物，源源不断地从我社注入市场，为方兴未艾的少林武术热潮平添了更高的热度。可以说，少林武术图书一直与我社相伴相随，成为我社具有长期出版价值的图书门类。其中，少林武术图书的编纂者——已故的王长青（法号释德虔）先生功不可没。他经年累月锲而不舍，寻于寺院、觅于乡间，挖掘出大量尘封的少林武术资料，继而分门别类梳理、整饬成一册册书稿，并与我社携手努力，打造出独树一帜的武术图书板块，为我社的武术图书出版打开了新局面。

今天，在着力弘扬中华优秀传统文化，树立和增强文化自信的大背景下，我社将以往出版的少林武术书籍重新进行了编排，以全新的面貌推出“少林武术精粹系列丛书”，这是我社多年来少林武术出版情结的延续，是对积累和沉淀的少林武术资源的再一次整合与展示，更紧密契合了时代的要求。

通过这套书，读者可以研习刚柔相济、闪转腾挪的少林功夫，可以感悟其中凝结的中华智慧，可以领略武术文化的博大精深……这便是我社对这套书出版价值的期待。

目　录

少林小通臂拳

动作名称

预备势
1.上步三纫手
2.怀中抱月
3.左右三推掌
4.劈　山
5.平心炮
6.马步上架拳
7.左右云顶
8.天王托塔
9.撅　柴
10.两抢手
11.斜　行
12.右云顶端左肘
13.卧　枕
14.抢　手
15.斜　行
16.左云顶端右肘
17.三卧枕
18.冲天炮
19.提手炮
20.三砸捶
21.跳步单叉
22.卧　枕
23.上步三纫手
24.怀中抱月
25.上步推掌
26.右采脚
27.右左三推掌
28.左右三推掌
29.二起脚
30.白鹤亮翅
31.单　叉
32.鹞子钻林
33.劈　腿
34.连推三掌
35.虎抱头
36.海底炮
37.撩手抢手
38.旋风脚
39.搙手卧枕
40.平心炮
41.白鹤亮翅
42.单　叉
43.鹞子钻林
44.上步反纫手
45.泼　腿
46.抢　手
47.斜　行
48.右云顶端左肘
49.右卧枕
50.抢　手
51.斜　行
52.左云顶端右肘
53.三卧枕
54.旋风脚
55.连推三掌
56.两抢手
57.斜　行
58.左云顶端右肘
59.左卧枕
收　势

动作图解

预备势

两脚并拢立正。两手握拳抱于腰间。挺胸、抬头，目视前方。（图1）

1.上步三纫手

向左转体90度，顺势左脚前上一步，右脚跟上一步，左脚再跟上半步，落于右脚内侧，脚尖点地，两腿半蹲成左虚步。同时，两拳变掌，五指稍向内并拢，形似猴爪，两臂向前屈肘抢出，掌心向下，右掌置于左手腕内侧。目视两掌。（图2）

图 1

图 2

2.怀中抱月

左脚踏实，右脚后撤一步，两脚踉地，向右转体90度，收左脚落于右脚内侧，脚尖点地成虚步。两掌变拳，经前由外向内画弧，两臂屈肘环抱于胸前，两拳相接，拳心向下。目视前方。（图3）

3.左右三推掌

左脚左移一步，向左转体90度，左腿屈膝，右腿蹬直，成左弓步。左拳变掌，左掌经右腋下向前推出，肘微屈，掌指向上，右拳平端于腰侧，目视左掌。（图4）

接着向右转体180度，右腿屈膝，左腿蹬直，成右弓步，顺势右拳变掌向前推出。目视右掌。（图5）

再向左转体180度，左腿上步，屈膝成左弓步，顺势左拳变掌向前推出，目视左掌。（图6）

4.劈　山

收左脚落于右脚后半步，向右转体90度，右脚后撤半步，两腿微屈成高马步。同时，右掌经上向右侧画弧下劈，掌心向前，掌指斜向上，左掌收护于腰间。目视左前方。（图7）

图 3

图 4

图 5　　图 6

5.平心炮

左脚左移半步，速抬右脚与左脚并步震脚。同时，右掌变拳向左与左掌在胸前下方相击。目视前方。（图8）

图 7　　图 8

6.马步上架拳

右脚向左跨跳一步。右拳变掌向前上方撩，掌心向上，左掌端于腰间。（图9）

两腿落地成马步。两掌变拳收回胸前，右拳经外向上画弧，架于头前上方，拳心向前，左拳向左上方画弧后下栽于左膝部，拳心向后。目视左侧。（图10）

图 9

图 10

7.左右云顶

向右转体90度，左脚前上一步。同时两拳变掌，左掌由左向右绕头画弧一周。目视前方。（图11）

右脚前上一步。右掌由右向左绕头画弧一周。目视前方。（图12）

图 11

图 12

8.天王托塔

右脚前上一步，屈膝前弓，左腿蹬直，成右弓步。右掌由上经后画弧向前上方抢出，全臂向上斜，掌心向上。左臂屈肘，左拳变掌由下向前抢出，掌心向上，置于右肘内侧。目视前方。（图13）

9.撅　柴

两脚踞地，向左转体180度，提左膝，脚尖向下。同时，两掌画弧变拳，形如撅柴。目视前方。（图14）

图 13

图 14

10.两抢手

左脚前落，左腿屈膝成左弓步。同时两拳变掌，左掌随势经右腋下向前平掌穿出，掌心斜向上。右掌平端于腰间。目视左掌。（图15）

接着上右脚，右腿屈膝成右弓步。同时右穿掌，目视右掌。（图16）

图 15

图 16

11.斜　行

上体右转90度，仍成右弓步。两掌变拳，经外向右画弧，两臂屈肘平举，肘尖外顶，拳眼相对，左臂稍高于右肘。目视右肘前方。（图17）

12.右云顶端左肘

左脚前上半步，落于右脚前侧，成左虚步。两拳变掌，左掌经里向前画弧，屈肘上穿，掌心斜向里，掌指斜向上。右掌经下向左上绕头一周，落于胸前左肘际。目视左掌。（图18）

13.卧　枕

左脚后退一步，向左转体90度，成左弓步。两掌变拳收回胸前，接着右拳经下向上方画弧一周，收于胸前。左拳经前向左上方屈肘上冲，拳心向内，高与肩平，上体略左倾。目视右前方。（图19）

接着左腿蹬直，屈右膝成右弓步，向右卧枕。目视左前方。（图20）

图 17

图 18

图 19

图 20

14.抢 手

起身，两脚踩地，向左转体90度，右脚前上一步，右腿屈膝，成右弓步。同时，两拳变掌，右掌由后经腋下向前平掌抢出，掌心斜向上，掌指斜向前。左掌前抢，置于右臂内侧。目视右掌。（图21）

再上左脚成左弓步，左掌向前平掌抢出。右掌同时向前平穿，置于左肘际，目视左掌。（图22）

图 21

图 22

15.斜　行

右脚前上一步，成右弓步，上体右转。两掌变拳内收，两臂屈肘平架，高与肩平，肘尖稍向外扛，两拳眼相对，拳心向下。目视右侧。（图23）

16.左云顶端右肘

两拳变掌，右掌经前向右上方绕头画弧一圈，微屈肘经前掠下，置于胸前，掌心向里，掌指向上。同时，左脚向前上一步，右脚紧跟上半步成右虚步。同时，左掌向左下画弧，向左屈肘上端于右肘，目视右掌。（图24）

图 23

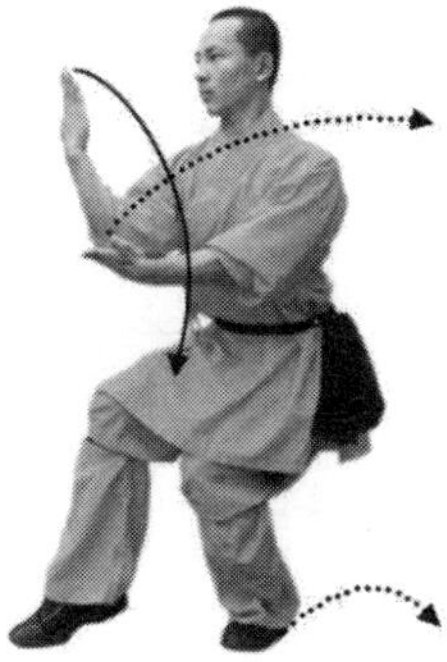

图 24

17.三卧枕

左脚后退一步，向左转体180度，左腿屈膝，右腿蹬直，成左弓步。两掌变拳，右拳向右上方绕弧后下砸，落于裆前，拳心向里。左拳上摆，屈肘夹肋，上架于左耳下。上体左倾，目视右侧。（图25）

抬右脚，重心右移成右弓步。左拳经前向左上方画弧后下栽于裆前，拳心向里。右拳经左绕弧上穿，肘内摆护肋，拳架于耳际。上体右倾，目视左侧。（图26）

依上法再向左卧枕。

18.冲天炮

右脚左移，落于左脚后，左脚尖点地，两腿微蹲，成左虚步。同时，左拳经前屈肘上冲，拳心向里。右拳经前由外向内画弧后，向右屈肘横击，拳落于左肘下方，拳心向下。目视前方。（图27）

图 25

图 26

图 27

19.提手炮

左脚左移一步，抬右脚与左脚并步震脚。同时左拳变掌向右与右拳在胸前相击。两腿微蹲。目视前方。（图28）

20.三砸捶

左脚左移一步，向左转体90度，右腿屈膝，左腿蹬直，成右弓步。同时左掌变拳，经后向上画弧后向前下方砸击，拳眼向上。右

拳抱于腰间。目视左拳。（图29）

图 28

图 29

左脚向前一步成左弓步，按上法出右拳向前砸击；目视右拳。（图30）

再上右脚，成右弓步，砸左拳。目视左拳。（图31）

图 30

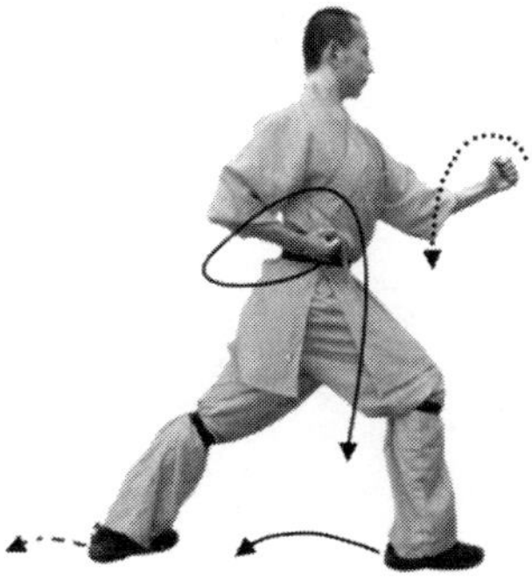

图 31

21.跳步单叉

两脚右跳一步，右腿伸直，左腿屈膝，落地成右仆步。左拳抖腕

后抱于腰间，右拳经上向外画弧后下砸于裆前。目视右侧。（图32）

22.卧　枕

起身，右脚左移，左脚向左上一步，左腿屈膝，右腿蹬直，成左弓步。左拳经左向上绕弧，屈肘夹肋冲击，置于左耳际。右拳由下向上画弧一圈后下护于裆前，拳心向右。上体向前倾探，目视右侧。（图33）

图 32

图 33

23.上步三纫手

起身，左脚略收再前上半步，右脚随之前上一步，随势左脚再上一步，脚尖点地，身体下蹲成左虚步。同时两拳变爪，两臂随身势向左画弧，左前右后屈肘置于体前。目视前方。（图34）

24.怀中抱月

左脚跟踏实，右脚后退一步，两脚蹍地，向右转体90度，收左脚落于右脚内侧，成左虚步。同时两爪变拳，由外向内画弧，两臂

屈肘环抱于胸前，两拳相接，拳心向下。目视前方。（图35）

图 34

图 35

25.上步推掌

向左转体90度，左脚前上一步，屈膝成左弓步。同时两拳变掌，左掌经右腋下向前推出，掌心向外，掌指向上，肘部微屈。右掌平端于腰侧，掌心向上。目视左掌。（图36）

26.右采脚

左脚前上一步，接着起右腿向前上方弹踢，脚面绷平。同时出右手经前绕弧向前拍击右脚面，左掌变拳抱于腰间。目视右掌。（图37）

图 36

图 37

27.右左三推掌

收右脚下落成马步。同时右手下落腹前，左拳变掌，屈肘推出。目视前下方。（图38）

上右脚成右弓步。同时右掌经腋下成侧立掌推出，掌心向前，掌指向上，左掌变拳，端于腰侧。目视右掌。（图39）

图 38

图 39

两脚踩地，向左转体180度，右脚前上一步成右弓步，依上法推

右掌。（图40）

两脚踬地，向左转体180度，右脚前上一步，成右弓步。推右侧立掌，目视右掌。（图41）

图 40

图 41

28.左右三推掌

左腿向前上方弹踢，脚面绷平。同时出左手经前绕弧，向下拍击左脚面。右掌端于腰间。目视左掌。（图42）

左脚落地，再前上成左弓步，顺势左掌略收，随即向前成侧立掌推出，两脚踬地，向右转体180度，成右弓步，右掌向前推，掌心向前。两脚踬地，向左转体180度，成左弓步，再推左侧立掌，右手端于腰侧。目视左掌。（图43）

图 42

图 43

29.二起脚

先抬左脚，后抬右腿向前上方弹踢，脚面绷平。全身腾空时，右掌向前上方拍击右脚面，左掌护于腰间。目视右掌。（图44）

30.白鹤亮翅

两脚落地后向右转体90度，提左脚成独立势，左脚尖向下。两掌在胸前会合后，向两侧伸出，两掌心向上。目视前方。（图45）

图 44

图 45

31.单　叉

左脚下落，同时右脚右伸，左腿屈膝成右仆步。左掌变拳向下经前绕弧收抱腰间，右拳下砸于裆前。目视右侧。（图46）

32.鹞子钻林

起身，两脚踩地，向右转体90度，重心前移成右弓步。左拳变掌推右拳，右肘向前上方冲出。上体前探，目视前方。（图47）

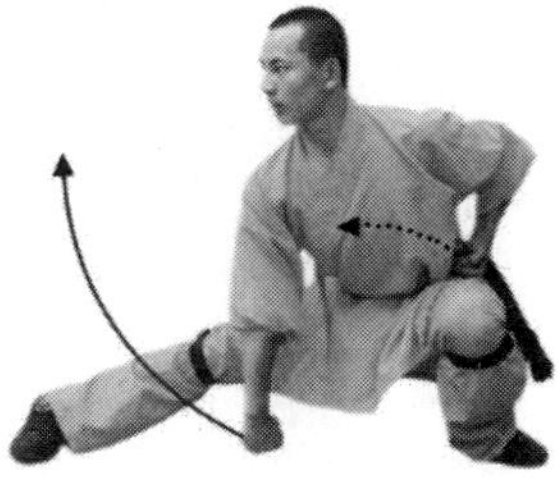
图 46

图 47

33.劈　腿

起身，抬左腿向前上方弹踢。同时，左掌变拳经上向下劈于左腿外侧，拳心向右。右拳抱于腰间。目视前方。（图48）

34.连推三掌

左脚前落成左弓步。同时左拳变掌向前推出，掌心向外，掌指向上。右掌平端于腰侧。目视左掌。（图49）

左弓步不变。右掌向前推出，左掌收回腰侧。目视右掌。（图50）

依上法再推左掌。目视左掌。（图51）

图 48

图 49

图 50

图 51

35.虎抱头

右脚前上一步，向左转体90度，右腿屈膝成左仆步。同时两掌变拳，右拳由下经外向上画弧，右臂屈肘上冲至头右前侧，拳心向里。左拳经外向上画弧，左臂屈肘向右横击。目视左侧。（图52）

36.海底炮

左脚右移一步，再抬右脚与左脚并步震脚，两腿半蹲。同时左拳

变掌经外画弧。右拳下砸，在腹前与左掌相击。目视前方。（图53）

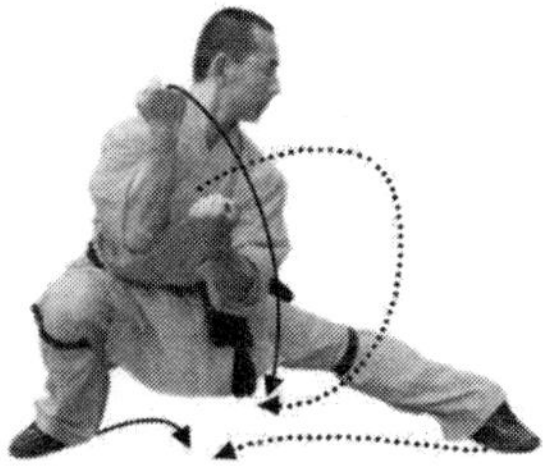

图 52

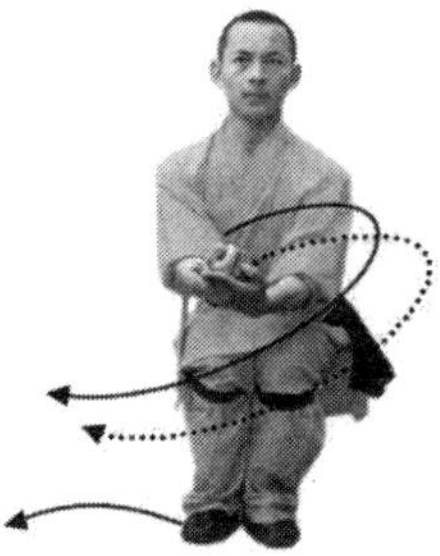

图 53

37.撩手抢手

抬左脚，跳步右移，伸右腿成右仆步。同时右拳变掌，两掌由左向右平撩，目视右侧。（图54）

接着起身向右转体90度，上左脚成左弓步。同时左掌前穿，掌心斜向上，掌指斜向前。右掌变拳平端于腰侧。目视左掌。（图55）

图 54

图 55

38.旋风脚

两脚起跳，右腿向左上方旋踢，腾空左转体360度。当转至270度时，出左掌向右拍击右脚掌内侧，右拳摆于体侧。目视前方。（图56）

39.搿手卧枕

落地，向左转体90度，右脚前跨一步，成左仆步。右拳由下向右上方冲击，夹肘护肋，拳接近耳部下方。左掌变拳，左拳由下向上画弧一圈再向下栽于裆前，拳心向里。上体向前倾探，目视左侧。（图57）

图 56

图 57

40.平心炮

起身，收左脚与右脚并步，震右脚，左拳变掌向上与右拳在腹前相击。目视前方。（图58）

41.白鹤亮翅

右脚右跨一步，左腿提膝，脚尖向下，成独立势。右拳变掌，两臂

同时由下向侧上方伸展，两掌心向上，掌指向外。目视前方。（图59）

图 58

图 59

42.单　叉

左脚落地，两脚向右横跳一步，右腿右伸，左腿屈膝，成右仆步。右掌变拳，两手经外绕弧收回与左掌在腹前相抱。目视右侧。（图60）

43.鹞子钻林

起身，重心右移成右弓步。同时，左掌推右拳，右肘由下向前上方顶出，肘尖向前。上体向右微倾。目视右侧。（图61）

图 60

图 61

44.上步反纫手

左脚前上一步，再抬右脚上一步，又抬左脚向前上半步，脚尖点地，落于右脚前成左虚步。两手指内屈成爪，向前微屈肘抢出，掌心向下，左掌置于右腕内侧。目视前方。（图62）

45.泼　腿

左脚踏实，右脚向前上半步，顺势以右脚为轴，左脚向右扫击，向右转体360度。两手由爪变拳，随势右掠，收抱于腰间。目视前方。（图63）

图 62

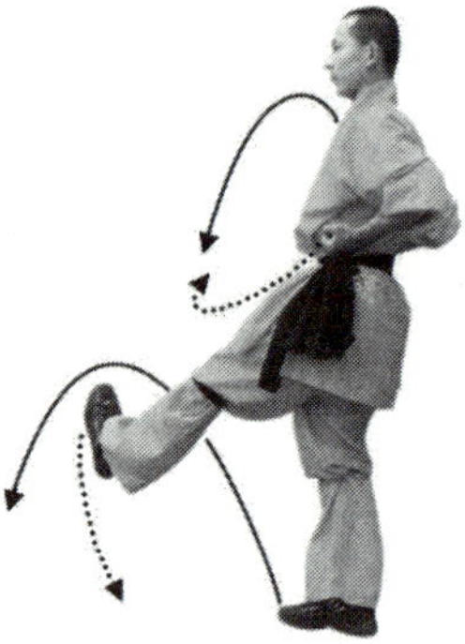

图 63

46.抢　手

收左脚落于右脚内侧，并步下蹲。同时左拳变掌，经前绕弧摆于腹前。右拳经外向上绕弧，再下落与左掌相击。目视前方。（图64）

接着，左脚前上一步，屈膝成左弓步。顺势右拳变掌，两手经

左向后绕弧再向上抢出，右掌置于左腕侧，掌心向上。重心前移，上体略前探。目视前方。（图65）

右脚前上一步，成右弓步。两掌略收，再按上势向前抢出。（图66）

图 64

图 65

图 66

47.斜　行

两脚不动，仍保持右弓步。两掌内翻变拳，右拳架于头上右侧。左拳向内绕弧再向前冲出。目视前方。（图67）

48.右云顶端左肘

左脚前上一步，脚尖点地，屈膝下沉成左虚步。同时两拳变掌，左掌经外向后上方绕头掠下，屈肘置于胸前，掌心斜向上。右掌向后翻掌转腕向前横掠，平置于左肘下。目视前方。（图68）

图 67

图 68

49.右卧枕

左脚踏实，右脚前上一步，向左转体90度，右腿屈膝成左仆步。两掌变拳，左拳右掠，下砸于裆前，拳心向里。右拳由下向上，右臂屈肘夹肋上冲，置于右耳侧，拳心向后。目视左侧。（图69）

图 69

50.抢　手

起身，收右脚向右转体90度，再上右脚成右弓步。同时，两拳变掌，右掌内旋向前平穿，掌心向上。左掌平端于右肘侧。目视右掌。（图70）

51.斜　行

弓步不变，上体右转。两掌内翻变拳，左拳向前冲出，右拳上架于头上右侧，拳心向前。目视前方。（图71）

图 70

图 71

52.左云顶端右肘

右脚后收落于左脚前，脚尖点地，身体下沉成右虚步。两拳变掌，右掌由下向上屈肘上穿，掌心斜向上。同时左掌经外侧向后上方绕头掠下，平端于右肘内侧。目视前方。（图72）

图 72

53.三卧枕

左脚后腿一步，向左转体90度，成左弓步。两掌变拳，左臂屈肘，左拳上冲，拳心向里，立于左耳侧。右拳向右绕弧下砸于裆前，拳心向右。上体略左倾，目视右侧。（图73）

重心右移成右弓步，右臂屈肘，右拳上冲，立于右耳侧。左拳依上法下砸于裆前。上体略右探，目视左侧。（图74）

图 73

图 74

接着，再依上法向左卧枕，目视右侧。（图75）

54.旋风脚

起身，右脚起跳，向左上方旋踢，腾空转体180度，当全身腾空时，左拳变掌拍击右脚掌内侧，右拳摆于体侧。（图76）

图 75

图 76

55.连推三掌

两脚落地后，左脚向左上一步，向右转体90度，屈膝成左弓步。同时左掌经右腋下穿出，向前成侧立掌推出，掌心向外，掌指向上。右掌平端于腰侧。（图77）

右脚前上一步，屈膝成右弓步，右掌向前成侧立掌推出，同时收回左掌。（图78）

接着再推左掌，右掌收回腰侧。目视左掌。（图77）

图 77

图 78

56.两抢手

两脚踬地，向右转体180度，屈膝成右弓步。同时右掌随势向前平直抢出，掌心向前，掌指向上。左掌平端于腰侧。目视右掌。（图79）

接着向左转体180度，屈膝成左弓步。顺势左掌向前平直抢出，右拳平端于腰侧。目视左掌。（图80）

图 79

图 80

57.斜　行

右脚前上一步，屈膝成右弓步，上体右转45度。两掌内翻握拳，两拳内旋再向体前两侧冲出，两拳心向下。目视右侧。（图81）

58.左云顶端右肘

左脚前上一步，脚尖点地，落于右脚前侧，成左虚步。两拳变掌，右掌由下向上，屈肘向胸前上穿，掌心向里，掌指向上。左掌向右经头后绕弧掠下，平端于右肘下。目视前方。（图82）

图 81

图 82

59.左卧枕

左脚后撤一步，向左转体90度成左弓步。两掌变拳，左拳由下向上屈肘夹肋上冲，拳心向后，立于左耳侧。右拳向左掠下砸于裆前，拳心向里。上体左倾，目视右前方。（图83）

图 83

收　势

收右脚与左脚并步立正，身体挺直。两手抱拳于腰间。目视前方。（图84）

图 84

少林大通臂拳

动作名称

预备势
1.金沙飞掌
2.打虎靠山
3.盯心标拳
4.二郎担山
5.双关铁门
6.闪身炮拳
7.金童献图
8.千斤砸捶
9.双手开弓
10.鹞子翻山
11.腋下藏花
12.退步插拳
13.单峰贯耳
14.追风相连
15.顺手牵羊
16.踢阴破胆
17.猛虎跳涧
18.撩阴重拳
19.天王托塔
20.换景移山
21.珍珠卷帘
22.雷公飞天
23.勒马按拳
24.五花坐山
25.回头望仙
收　势

动作图解

预备势

身体自然挺直，两脚开立，与肩同宽，脚尖向前。两手握拳抱于腰两侧，拳心向上。目视前方。（图1）

1.金沙飞掌

左脚左跨半步，左拳变掌，与右拳由外向里画弧，在胸前相击。目视前方。（图2）

向左转体90度，左脚前上一步，屈膝成左弓步。同时左掌经前向左画弧，再向胸前穿击，右拳经下向右上方画弧掠平而下，抱于腰间。目视左掌。（图3）

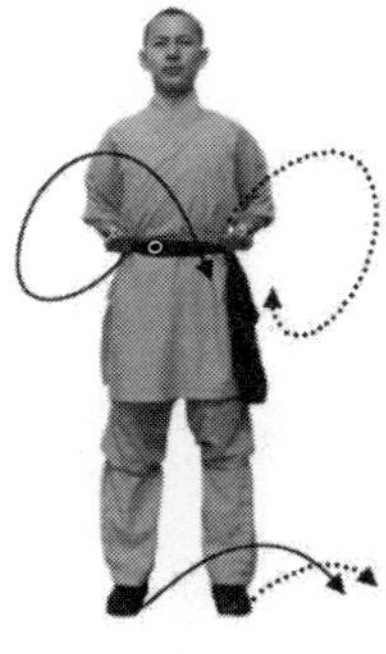
图 1

图 2

图 3

2.打虎靠山

左脚退后半步，脚尖点地，成左虚步。同时右拳由下向右上方画弧摆至头前上方，拳心向前。左掌变拳经左向下画弧，落于左大

腿上，拳心向左。目视前方。（图4）

3.盯心标拳

左脚前上一步，屈膝成左弓步。同时左拳经前向上方平直击出，拳心向下。右拳经外侧绕弧掠下，抱于腰间，拳心向上。目视前方。（图5）

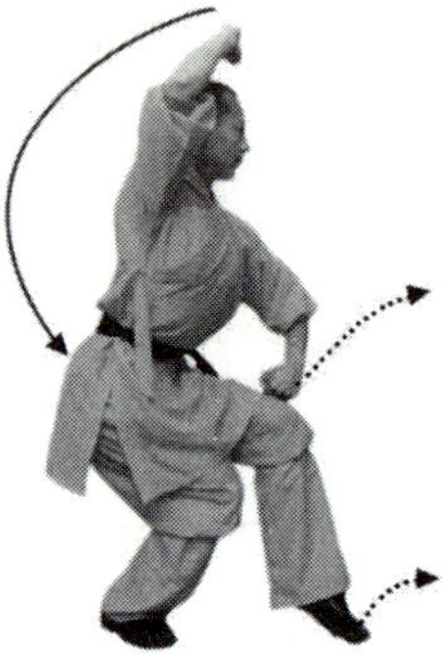

图 4

图 5

4.二郎担山

两脚踾地，向右转体180度。起左脚，跳步向前，右腿屈膝，左腿蹬直，成右弓步。同时右拳向上画弧向前平击，拳心向下。左拳随势收回胸前，再顺势向后方摆出，拳心向下。上体微前倾，成担山势。目视前方。（图6）

5.双关铁门

两脚踾地，向左转体180度，收左脚成左虚步。同时两拳随势合并于胸前，两肘夹肋，屈肘上冲拳，两拳心向里，左拳在前，右拳

稍后。目视前方。（图7）

图 6

图 7

6.闪身炮拳

起身，左脚踏实，右腿向前上方弹踢，脚面绷平。同时右拳变掌向前拍击右脚面。（图8）

右脚落地成右弓步。同时右掌变拳经胸前由下向上闪击，立于头上方，拳心向前。左拳顺势向右经胸前冲出，拳心向下。目视前方。（图9）

图 8

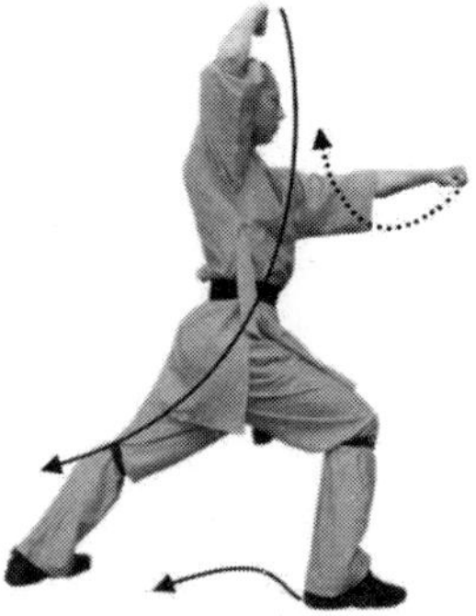

图 9

7.金童献图

向右转体90度，右脚略收，脚尖点地，落于左脚前半步，成右虚步。两拳变掌，回胸前交叉，左掌向上立于左额前上方，掌心向前。右掌向下，置于右胯外侧，掌心向里。目视前方。（图10）

8.千斤砸捶

上动不停，顺势两脚向外跳半步，两腿下蹲成马步。同时两掌变拳，左拳经后绕头掠下，右拳向右上方画弧，向胸前砸去，拳心向内。目视前方。（图11）

图 10

图 11

9.双手开弓

两脚踬地，上体微起，略向左转，屈膝成左弓步。右拳经后向前平击，手臂平肩，拳心向左。（图12）

接着，向右转体，左拳向左前冲出，拳心向前，右拳由右绕弧至头右侧掠下，屈肘抱拳，拳心向内。目视左拳。（图13）

图 12

图 13

10.鹞子翻山

上动不停，起左脚跳到右脚前，同时身体右转90度，左脚随势落干右脚内侧，脚尖点地，成左虚步。两拳变掌交义立于胸前，掌指向上，掌心向外。目视两掌。（图14）

11.腋下藏花

左脚前上一步，屈膝成左弓步。右掌变拳向右画弧再向前方击出，拳心向下。左掌经左上方向右下方画弧掠下，变拳抱于腰间。目视前方。（图15）

图 14　　图 15

12.退步插拳

左脚略收，脚尖点地，身体下沉，成左虚步。左拳经左向上再向右画弧掠下，护于裆前，拳心向下。右拳向上经外侧画弧掠下，抱于腰间。目视前方。（图16）

13.单峰贯耳

起身，左脚前上一步，屈膝成左弓步。同时左拳变掌，经左向上画弧。右拳向前上方击出，左掌抱住右拳。目视两手。（图17）

14.追风相连

两脚不动。左掌变拳向上方斜击，拳心斜向上。同时左脚后退半步，脚跟提起，脚尖点地，重心后移，成左虚步。左拳经外绕弧摆于胸前，拳心向里，右拳收回腰间。目视左拳。（图18）

15.顺手牵羊

左脚略收，再顺势上步，屈膝成左弓步。左拳向右下画弧按下，拳心向右。右拳抱于腰间。上身略前倾，目视前方。（图19）

图 16

图 17

图 18

图 19

16.踢阴破胆

起身，顺势左腿向前上方弹踢，脚面绷平；左拳变掌向前拍击左脚面。（图20）

左脚落地成左弓步。左掌变拳向前平击，右拳抱于腰间。目视左拳。（图21）

图 20

图 21

17.猛虎跳涧

两脚向前跳一步，抬右腿向前上方弹踢。右拳变掌向前上方拍击右脚面。（图22）

右脚落地，向左转体90度。起右脚向左跳半步，左腿顺势向左伸直，右腿全蹲成左仆步；左拳下砸于裆前，右拳抱于腰间。目视左侧。（图23）

18.撩阴重拳

起身，向左转体90度，右脚前跨一步，屈膝成右弓步。右拳向前平直冲出，拳心向下。左拳抱于腰侧，拳心向上。目视右拳。（图24）

图 22

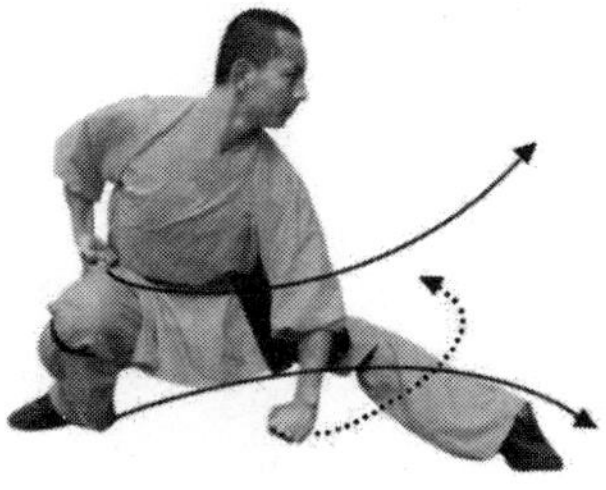

图 23

图 24

19.天王托塔

两脚跳步前移，仍成右弓步。右拳变掌，向左经胸前绕弧略收，再向前上方直臂抢出，五指并拢向上。左拳变掌，与右掌同时环弧，收回腰左侧。目视右掌。（图25）

20.换景移山

上动不停，左脚前上一步，屈膝成左弓步。左掌变拳，经外侧向上绕头掠下，再向前平击，臂稍低于肩，拳心向下。右掌变拳，经外侧由下绕弧向上，架于头前上方，拳心向前。目视左拳。（图26）

图 25

图 26

21.珍珠卷帘

左脚收回，顺势提膝，成独立势。两拳变掌，由内向外画弧掠下拍击左膝盖。（图27）

接着，左脚落于右脚前方，脚尖点地，成左虚步。同时，两掌经外侧向上绕弧，于胸前交叉，掌心向外，两肘弯曲，左掌在前，右掌在后。目视前方。（图28）

22.雷公飞天

左脚踏实，右脚前上一步，提左膝，脚尖向下，成独立势。两掌同时经外侧向上向内画弧，接着变拳从胸前并齐击出，拳心向下。目视两拳。（图29）

23.勒马按拳

上动不停，左脚落地，向前成左弓步。两拳变掌，经外侧向下画弧至胸前合击。上体微前倾。（图30）

向右转体90度，两腿屈膝成马步。两掌变拳，左拳由胸前下按于裆前，拳心向里。右拳抱于腰间。目视左侧。（图31）

图 27

图 28

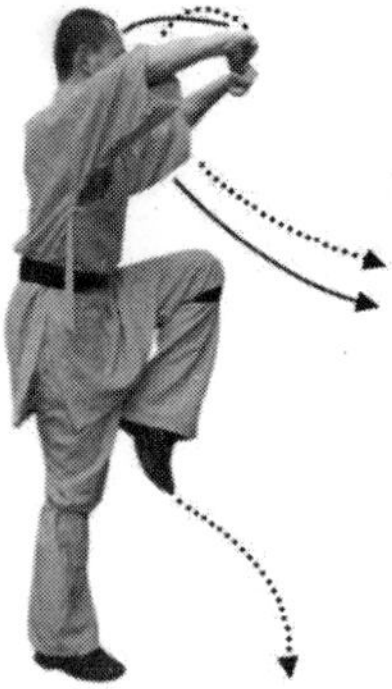

图 29

图 30

图 31

24.五花坐山

向左转体90度，抬右腿向前上方弹踢，脚面绷平。同时右拳变掌向前拍击右脚面。（图32）

右脚落地，上体略左转，右脚支撑，左腿屈膝抬起，并迅速前蹬。同时右手经外侧绕弧左摆拍击左脚底。（图33）

接着左脚略下摆，右脚起跳腾空做二起脚，上体顺势略左转，右脚面绷平。出右掌向前拍击右脚面。（图34）

两脚落地，抬左腿微屈膝向后向左环摆，上体略左转。（图35）

左脚落地，再抬右脚向左腾旋，同时出左掌拍击右脚掌内侧。（图36）

右脚落地，抬左脚向左跨一步，两腿屈膝成马步。两掌变拳，右拳由下向外向上画弧架于头前上方，拳心向前。左拳向上向内画弧下栽于左膝盖上，拳心向后。目视左侧。（图37）

图 32

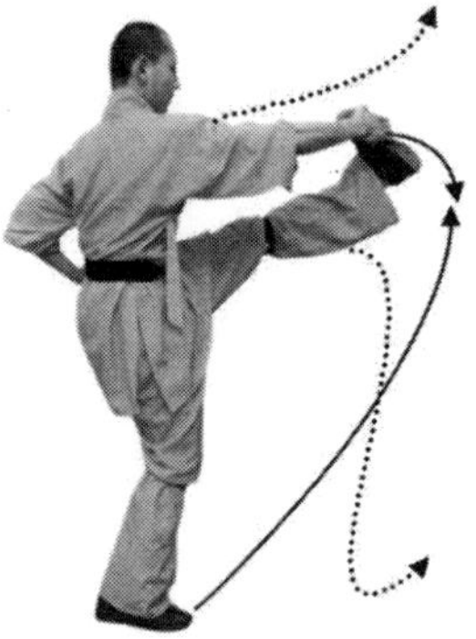

图 33

图 34

图 35

图 36

图 37

25.回头望仙

上动不停，两脚向右跳两步，成右弓步。两拳变掌，右掌由胸前向右经上画半弧，架于身体右侧上方，掌心向外。左掌向右腋下穿出，置于左膝上方，掌心向外。上身略右探。目视左侧。（图38）

收　势

起身，左脚与右脚并步立正。两掌随势变拳，抱于腰间，目视前方。（图39）

图 38

图 39